D0239981

OPENBARE BIBLIOTHEEK
INDISCHE BUURT
Soerabajastraat 4
1095 GP AMSTERDAM
Tel. 668 15 65

afgeschreven

Jesse zoekt geheimen

Johanna Kruit

Peter van Harmelen

OPENBARE BIBLIOTHEEK
INDISCHE BUURT
Soerabajastraat 4
1095 GP AMSTERDAM
Tel. 668 15 65

M a r e t a k

Schelpjesboeken zijn bestemd voor kinderen die net kunnen lezen. De boeken vormen een overgang van het prentenboek naar het leesboek: de illustraties vormen een wezenlijk onderdeel van het verhaal. Auteur en illustrator zien het als een uitdaging om een *Schelpjesboek* tot een stimulerende leeservaring te maken.

© 2008 Educatieve uitgeverij Maretak, Postbus 80, 9400 AB Assen

Tekst: Johanna Kruit
Illustraties: Peter van Harmelen
Vormgeving: Gerard de Groot
ISBN 978-90-437-0335-2
NUR 140
AVI E3

Alle rechten voorbehouden. Niets uit deze uitgave mag worden verveelvoudigd, opgeslagen in een geautomatiseerd gegevensbestand, of openbaar gemaakt, in enige vorm, of op enige wijze, hetzij elektronisch, mechanisch, door fotokopieën, opnamen, of op enig andere manier, zonder voorafgaande schriftelijke toestemming van de uitgever.

Voorzover het maken van kopieën uit deze uitgave is toegestaan op grond van artikel 16B Auteurswet 1912 j° het Besluit van 20 juni 1974, St.b. 351, zoals gewijzigd bij het Besluit van 23 augustus 1985, St.b. 471 en artikel 17 Auteurswet 1912, dient men de daarvoor wettelijk verschuldigde vergoedingen te voldoen aan de Stichting Reprorecht (Postbus 3060, 2130 KB Hoofddorp).
Voor het overnemen van (een) gedeelte(n) uit deze uitgave in bloemlezingen, readers en andere compilatiewerken (artikel 16 Auteurswet 1912) dient men zich tot de uitgever te wenden.

1 Jesse

Kijk, daar gaat Jesse.
Over de plank bij de sloot.
Nu is hij aan de overkant.
Hij ligt in het gras.
Van hier kan hij zijn huis zien.
Niemand weet waar hij is.
Het is een geheim.
Jesse kijkt naar de lucht.
Er drijft een witte wolk.
En er vliegt een vogel.
Zou een vogel een geheim hebben?
En mama en papa en oma?
Zou opa een geheim hebben?
Ik weet wat, denkt Jesse.
Ik ga geheimen sparen.
Dan maak ik een boek.
Daar schrijf ik alles in op.

2 Jesse denkt na

Jesse zit op zijn bed.
Hij schrijft in een boek.
Geheimen sparen valt niet mee.
En het schrijven ook niet.
Want waar is het begin?
Jesse zucht er van.
Hij kijkt naar de tuin.
Maar daar is niks te zien.
Of ja, toch wel.
Hij ziet Poeke de poes.
Die loopt daar elke avond.
Wat gek, denkt Jesse.
Altijd om zeven uur.
Heeft Poeke een geheim?
Waar zou zij heen gaan?
Dat moet ik weten.
Snel stopt hij het boek weg.

Hij moet achter Poeke aan.
Jesse holt de trap af.

3 Poeke

Jesse gluurt bij de heg.
Poeke loopt langs de sloot.
Haar kop gaat heen en weer.
Alsof niemand haar mag zien.
En dan gaat ze zitten.
Haar staart gaat opzij.
En kijk eens, wat doet ze daar?
Poeke poept bij de sloot!
Het duurt niet lang.
De poes is alweer klaar.
Ze krabt in de grond.
Netjes begraaft ze de poep.
Dan loopt ze weer verder.
Jesse is verbaasd.
Doet Poeke dit elke dag?
Dat wist hij niet.
Dit moet hij in het boek schrijven!

Het is het geheim van Poeke.
Snel rent Jesse naar huis.

4 Oma

Hoera, het is feest.
Want oma en opa zijn er.
Ze blijven wel drie dagen.
Jesse is erg blij.
Hij is al vroeg uit bed.
Dit wordt vast een mooie dag.
Hij loopt naar de badkamer.
En daar is oma ook al.
'Kom maar binnen, Jesse.
Ik ben zo klaar', zegt ze.
De ogen van Jesse worden groot.
Want wat ziet hij daar?
Wat heeft oma rare tanden!
Ze liggen in een glas water.
Oma lacht om zijn gezicht.
'Dat is een gebit', zegt ze.
'Kijk maar, het past in mijn mond.
Het lijken net echte tanden, hè?'

8

Jesse holt naar zijn kamer.
Hij schrijft in zijn boek:

Oma heeft een geheim.
Haar tanden zijn nep!

5 Opa

De school is uit.
Jesse rent naar huis.
Ha fijn, vrij!
Ze gaan naar het strand.
Opa en oma gaan ook mee.
Papa heeft een vrije dag.
Jesse ziet opa in de tuin.
Hij rent naar hem toe.
Op de tafel staat een mand.
Maar dan staat Jesse stil.
Want opa loopt naar de mand.
Hij neemt er iets uit.
En hij stopt het in zijn mond.
Het is een groot stuk kaas.
Zijn wangen staan bol.
'Hoi opa,' roept Jesse, 'wat doe je?'
Van schrik valt opa bijna om.

'Stukje kaas snoepen', mompelt hij.
Hij houdt zijn vinger tegen zijn mond.
Niks zeggen, bedoelt hij.
Jesse lacht.
Nu kent hij het geheim van opa!

6 Aan het strand

Jesse maakt een kasteel.
Met veel water er omheen.
Bij het duin ziet hij opa en oma.
Papa en mama liggen in de zon.
Jesse voelt dat zijn buik knort.
Is het nog geen tijd om te eten?
Hij rent naar de duinen en roept:
'Hallo, ik ga dood van de honger, hoor.'
Mama schiet omhoog: 'Ach, arme jij!'
Snel pakt ze de mand met eten.
'Hé, waar is de kaas?
Ik had toch nog kaas mee?
Je weet wel, van die zachte blokjes.'
Ze kijkt om zich heen.
Jesse kijkt naar opa.
Samen schieten ze in de lach.

Mama kijkt verbaasd.
'Wat is er te lachen?', vraagt ze.
Maar Jesse en opa rollen door het zand.
Wat een leuk geheim hebben ze samen!

13

7 De bakker

'Wil jij even naar de bakker, Jesse?
Haal maar zes bruine puntjes.
Want niemand bakt zo lekker als hij!'
In de winkel ziet Jesse bakker Piet.
Dat is een leuke man.
Achter de winkel is de bakkerij.
Daar ruikt het altijd lekker.
'Zo Jesse', zegt bakker Piet.
'Wat zal het zijn?'
'Zes bruine puntjes', zegt Jesse.
Hij denkt aan mama en vraagt:
'Wat is het geheim van een bakker?'
Bakker Piet schiet in de lach.
'Een geheim?', vraagt hij.
'Dat is niet zo moeilijk, hoor.
Ik zing altijd een liedje voor het brood.
Misschien smaakt het daarom zo lekker?

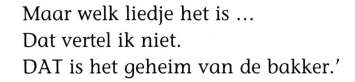

Maar welk liedje het is …
Dat vertel ik niet.
DAT is het geheim van de bakker.'

BROODBAKKER PiET

15

8 Wat nu, Jesse?

Jesse zit op zijn bed.
Hij heeft geen geheim meer ontdekt.
Mama zei dat ze er geen had.
En papa lachte hem uit en zei:
'Een geheim is een geheim.
Dat ga je toch niet vertellen?'
Wat moet hij nu doen?
Waar moet hij zoeken?
Opa en oma zijn weer naar huis.
Hun geheim heeft hij al.
En van Poeke en van de bakker ook.

Weet je wat, denkt hij.
Ik ga zelf een geheim maken.
Dan moet een ander het zoeken.
Wat een goed idee is dat!
Maar hoe maak je een geheim?
Daar moet hij nog over denken.
Want daar roept mama.
'Kom je, Jesse?
We gaan zo eten.'

9 In het park

Makkelijk hoor,
een geheim maken.
Gewoon een leeg doosje zoeken.
Er mooi papier omheen doen.
En er een briefje in stoppen.
En kijk, daar gaat Jesse.
Langs de tuinen.
Langs de huizen.
Door het park en langs de vijver.
Waar zal hij zijn geheim verstoppen?
Vlakbij loopt mevrouw De Boer.
En daar meneer De Bruin
met zijn hond.
Stil laat Jesse het doosje vallen.
Nu ligt het bij een boom.
Hij gaat op een bank zitten.

Maar mevrouw De Boer ziet niks.
Ze loopt rustig door.
En meneer De Bruin ziet ook niks.
Zijn hond ruikt aan het doosje.
Zou meneer De Bruin het nu zien?
Maar nee, hij trekt de hond gewoon mee!

10 Weg!

Jesse zit op de bank.
Niemand raapt het doosje op.
Wat een stomme mensen zijn het!
Als hij zo iets zou zien …
Nou, dan wist hij het wel.
Hij zou het gauw pakken.
En kijken wat er in zat.
Het kan wel een schat zijn.
Dat weet je toch nooit?
Kwaad loopt Jesse naar de vijver.
Er komen twee eenden aan zwemmen.
'Stomme eenden', roept hij.
'Gaan jullie ook maar weg!'
Dan draait hij zich om
en loopt terug naar de bank.

Maar hé, wat is dat?
Het doosje is weg.
Hoe kan dat nou?
Hij kijkt om zich heen.
Maar er is niemand te zien.
Het hele park is leeg.

11 Mama

Mama is in de keuken.
'Waar was je toch al die tijd?
Ik heb je gezocht.'
Ze legt appels op de schaal.
Jesse zegt niks, zijn mond valt open.
Wat ligt daar op de tafel?
Het is zijn doosje!
Hij kijkt er verbaasd naar.
Mama ziet zijn gezicht en zegt:
'Wat een leuk doosje, hè?
Dat vond ik vanmiddag.
Ik liep door het park naar huis.
En toen zag ik het.
Het lag vlak bij een boom.
Je weet wel, bij de vijver.
Er zit een briefje in.
En weet je wat er op staat?

Dit is een geheim.
Wie het vindt, mag het hebben.

Ik vind het zo leuk!
Ik zet het doosje naast mijn bed.
Nu heb ik toch een geheim!'

12 Het boek

Jesse heeft veel te schrijven.
Eerst over het doosje.
Daarna over het park.
En dan over mama.
Hij heeft niks tegen haar gezegd.
Maar dat was moeilijk.
Want ze was zo blij met het geheim.
Ze vertelde het ook aan papa.
Die bekeek het doosje heel goed.
'Ik ben jaloers', zei hij.
'Zo iets wil ik ook wel vinden.
Waar lag het ook alweer?'
'In het park', zei mama, 'bij een boom.'
'Dan ga ik daar morgen zoeken.
Ik wil ook een geheim!'

Jesse voelde kriebels in zijn buik.
Hij kon zijn lachen haast niet houden.
Zou hij nog een doosje maken?
Morgen, denkt Jesse.
Morgen verzin ik een nieuw geheim.
En het moet heel goed zijn.
Een groot geheim voor papa!
Maar niemand mag het weten.
Want het is ook MIJN geheim.